PRAY
ORIGIN
프레이 오리진

나이트런 프레이 오리진 ┃ 3

2022년 2월 10일 초판 1쇄 발행

원 작　김성민
편 집　이열치매, 최지혜
마케팅　이수빈
▬
펴낸이　원종우
펴낸곳　블루픽
주소　경기도 과천시 뒷골로 26, 2층
전화　02 6447 9000
팩스　02 3667 2655
메일　edit01@imageframe.kr
웹　http://imageframe.kr
▬
ISBN　979-11-6769-069-2 07810
　　　　979-11-6769-066-1 (세트)
정가　14,800원

PRAY
ORIGIN
프레이 오리진

CONTENTS

part 20

영식(零式).

하지만

원거리전도 아니고
이 거리에서 이 숫자의
기사를 상대로
들어오다니…

AB소드가 있는 이상
이런 근거리 백병전이라면
싱글넘버와 큰 차이는
없어.

노심등급
패턴 확인. 영식(零式).
노심등급 C.

긴급통신으로 받은
파란 녀석과는 달라요.
랭크는 그리 높지 않은데…
기사들 한가운데에서
혼자 뛸…

그보다 영식이 있는
여왕도 드문데 식(式)을
2기나 낳았다니
이 짧은 시간에…

AB소드를 가진
대기사전에서
노심등급으로만
전력을 판단하는 건
……

오싹

후퇴해!!!
당장!!!!!!

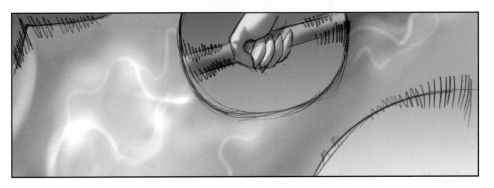

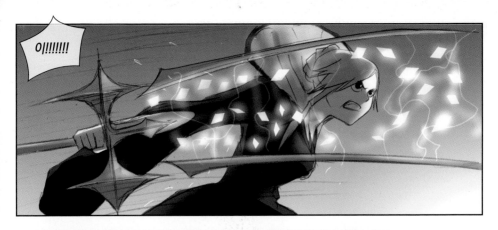

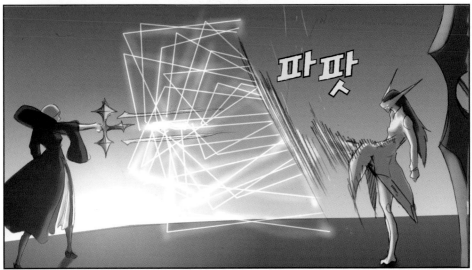

착

고…고마워요.
다니엘.

베테랑 기사가
저렇게 쉽게
당하다니…

이상해…
영식이란 게…
보통 이렇게까지
강한 건가?

그리고
저 날개…

…오로라 시스템…
괴수가 그런 기술을
가졌을 리가…

항모 후미
외부 기믹이
작동합니다!!!

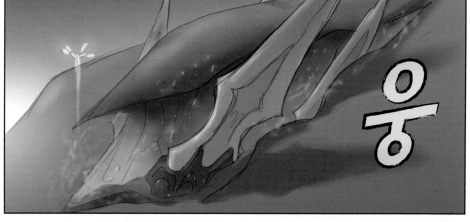

웅

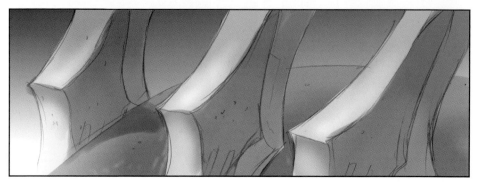

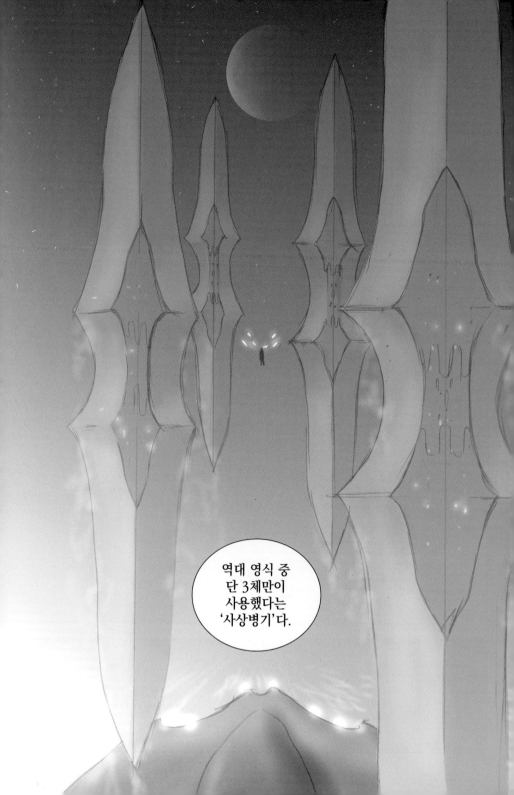

그것은… 마치 하늘에서 내리는 천벌과 같았다.

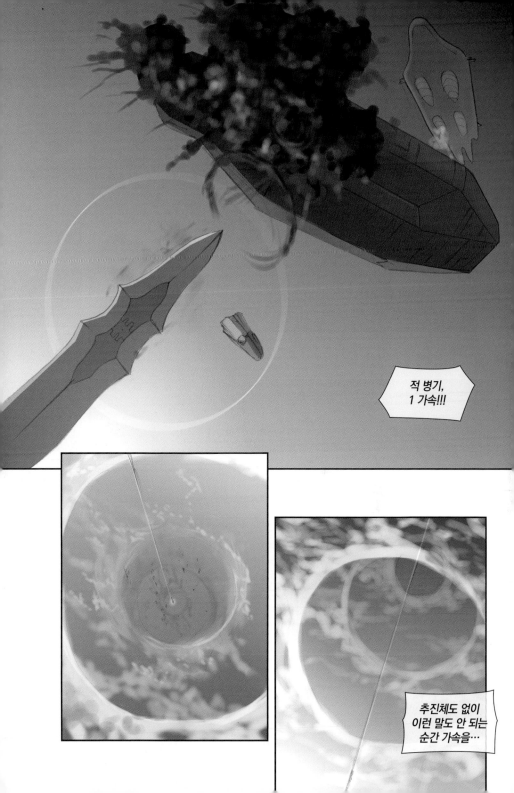

에덴 도시 방어 실드
활성화 완료됐습니다!!

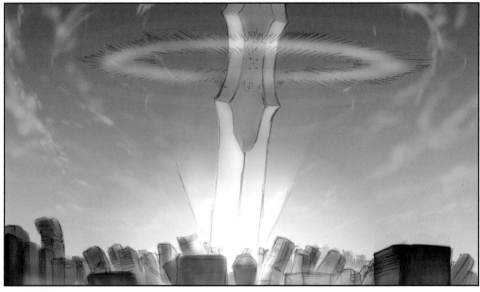

실드 무시!!?

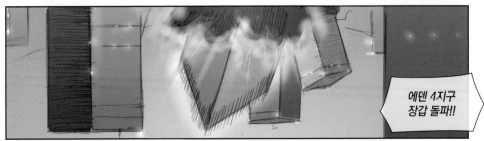

에덴 1지구 장갑 돌파!!

속도 저하 없이 에덴 중추로 방향을 잡습니다!!!

말도 안 돼!! 이게 어떻게 가능한 거지?

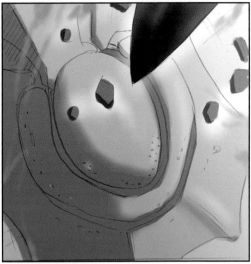

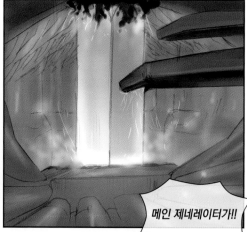

메인 제네레이터가!!

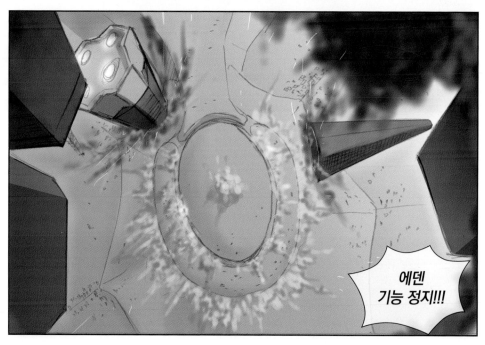

에덴
기능 정지!!!

말도 안 돼!!!

행성 전체에
실드를 전개할 수 있는
에덴의 시스템을
이렇게 간단히…

…꺄아아!!!

도망가!!

엄마…

꼬마야
이리 와!!!!

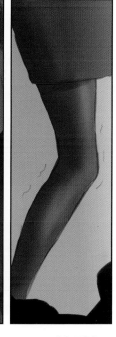

도시가……

아무리 생각해도 할 수 있는 게 전혀 없는…
전에도 가끔씩 느꼈던 철저한 무력감…

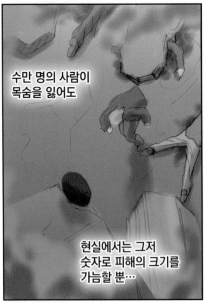

수만 명의 사람이
목숨을 잃어도

현실에서는 그저
숫자로 피해의 크기를
가늠할 뿐…

실감도 나지 않고
슬픈 감정도 들지 않는
기묘한 상실감이…

또다시
나를 에워싼다.

하지만 이조차 단지 시작일 뿐이었다.

…어?

그것 역시…
전에도 느껴본 적 있는 위화감…

설마 지금
떨어진 건…

단 한 번 중앙의 최상위 보안 시설인 제4 특수실험실의
가동 실험에서 느껴본 적이 있는 모글레이(Morglay)의 결계.

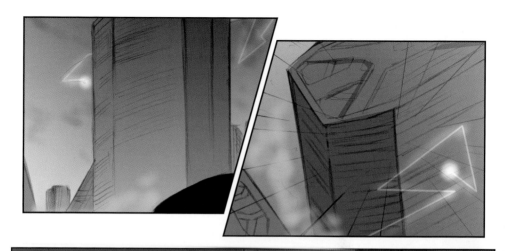

'그것'이

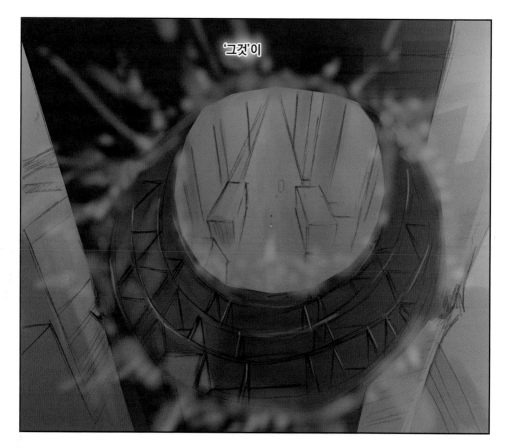

나를 보았다.

이제 와서 생각해 보면…
AB소드는커녕 코트조차 입지 않았던 나를 죽이는 건 간단했다.

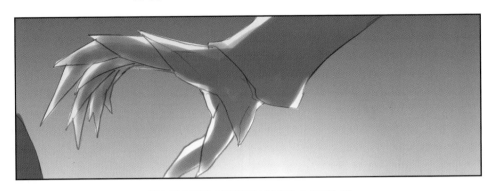

…그대로 멈추지만 않았어도 날 죽일 수 있었는데…
녀석은 그걸 원하는 게 아닌 것 같았다.
오히려 그 흰색 괴수는 충격파마저 자신의 실드로 상쇄해 날 보호했다.

그때는 그저 눈앞의 하얀 존재감에 그런 생각을 할 겨를이 없었지만.

차펠린을 지상으로…
어?

단장은?!

3번 해치가
열려 있습니다!!

설마!!!

앤!!!

드라이?!

part 20. 사상병기-Morglay(모글레이) |끝|

part 21

knight
Run

넌 분명 강해…
하지만 자신이
감당 못 할 정도로
무리해서 얻은 힘은
널 망가뜨릴 거야.

…

이번에도
프레이가
없었다면
분명…

왜 그렇게까지
무리하는 거야?

글쎄…

모순이야.

전부
지키고 싶어.

눈앞에서
모든 걸 잃는 일은
다시 겪고 싶지
않으니까.

지키기 위한
싸움에서는 늘
희생이 뒤따르기
마련이잖아.

그런 생각은
정신적으로 널
점점 더 힘들게
할 뿐이야.

많이
컸구나.

헤헤

응, 그런데
엄마는 많이
삭았어~

앙?

앤.

아파효.

왜 나까지?

7레벨의
중(重)디펜시브코트야.
입고 있어.

이번에는
보인다.

에너지를 담은
초고속 찌르기 연격으로

다수의 기사를
뭉개 버린 기술.

검을 휘두르는 건 반응이 아닌

빨라.
반응은
할 수 없다.

그때라면 당했겠지.
하지만 이미
한 번 경험했어.

예지력을 동원한 선제 대응에 가깝
다.

강한 건
알겠는데…

모든 기사를
벨 수 있다는
착각은 버려.

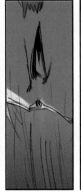

일단은…

현재
탑소드라서
말이지.

피

스

치

익

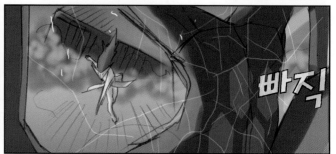

빠

직

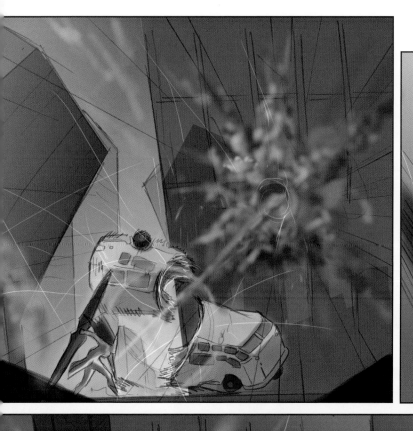
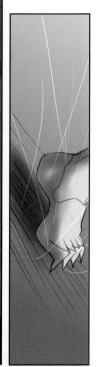

휘릭

쿽!

챙

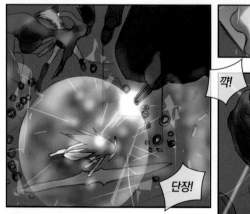

단쟁!

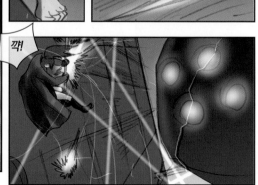

깍!

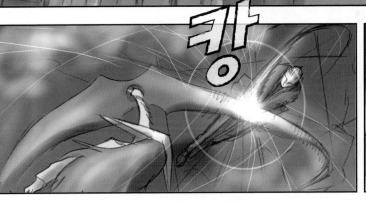

으

직

기사 하나를 상대로 사상병기를 쓸 수는 없겠지.

A클래스 이상의 영식… 하지만 능력은 근접전에 치우쳐 있군.

확실히 접근전은 대단하지만…

쿠

쿵

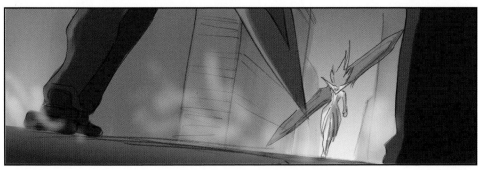

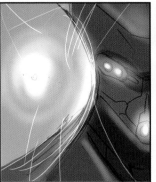

37번 검 '진아'와 1번 검 '더 원'.

나도 그 녀석처럼 이검류다.

그럼 다시 춤춰 보자 '괴수'.

part 21. Top Sword(상) |끝|

part 22

이 한 걸음을
내딛기 위해···
그동안 내 모든 걸
걸어 왔어.

네 검은
분명 빠르지만
난 이보다 더한 검을
두 번이나 보았고···

그걸 넘어서···
지켜주고 싶은
사람이 있어.

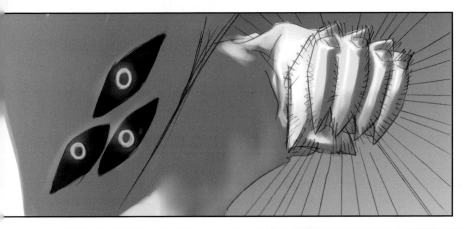

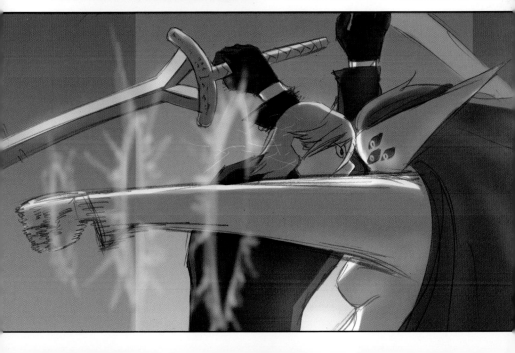

……과연.

이 거리에선
그 둘도 피하지
못했을 공격인데.

오로라시스템을 이용한 순간 기동.

그리고

노심출력을 이용한 지향성 공격이겠지.

피하는 게 당연하지만 뒤쪽은 주거지.

피난민과 대피소도 있다. 앤도…

노심공격을 인간 하나가 힘으로 막을 수 있을 리 없겠지만…

…나라면
가능해.

청색창
青色槍

맥시멈 스러스트
Maximum Thrust

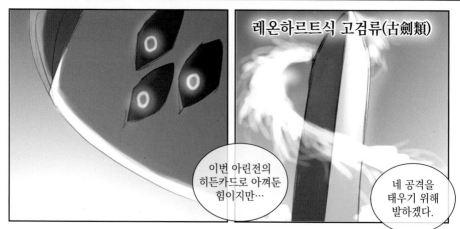

레온하르트식 고검류(古劍類)

이번 아린전의
히든카드로 아껴둔
힘이지만…

네 공격을
태우기 위해
발하겠다.

주광기정점
朱光技頂點

홍영
紅盈

세 자리 수의
상위괴수를 태운
붉은 기둥. 나의
전심전력이다.

홍색섬멸기
紅色殲滅技

청색강습기
靑色强襲技

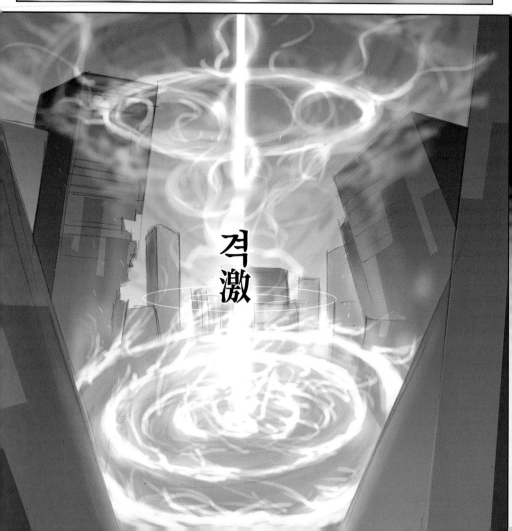

격
激

쿠우우우

상쇄는 해냈지만…
…프레이와 같은
특수파동기인가?

홍영을 쓰고도
멀쩡한 영식은
크로스아이 외엔
없었는데…
저 녀석…

경험 여부에 따라
S급에 가까울지도
모르겠군.

제대로 된 조건에서 붙고 싶었지만…

뭐… 시간은 벌었어.

늦었잖아. 레오.

덕분에 멋진 역할은 다 뺏겼네요.

part 22. Top Sword(하) |끝|

part 23

knight
Run

사출, 전개.

하단에
노심을 풀가동한
D형 타이탄급.
미네바와 달튼.

C급 노심으로는
쉽게 뚫기 어려운 화력으로
하늘을 막고.

대 영식
시가전을
위해

대 영식용
'소와트'까지
공수해 왔다.

몇 기 없는
대전쟁시대의
중력자 사출기도
가져온 데다

일반 E-F급
영식이라면
기사 없이도
잡을 수 있는
장비다.

3년 만에
등장한 B클래스
이상 영식…

상대가
A-S급으로
추정되긴
하지만

이번처럼
노심출력이
낮은 경우
장비는 여전히
유효하다.

게다가 이번에는
마스터기사만으로
팀을 짤 수 있는
이점이 있어.

검속 우선으로
선봉을 짠다.

다니엘, 제니,
도이, 키리.

단, 레오,
버넷.

전원 영식을 베어 본
제로브레이커.

부상을 입은
내가 빠진다 해도
네가 버틸 수 있을까
괴수?

A급 이상 경험은 나 외엔 버넷과 도이, 너밖에 없다.

깊이 들어갈 것 같으면 자제시켜.

OK.

틈만 만들어.

약간만 무너지면…

즉시 기사와 십자회 200명 전원이 공격한다.

십자회가 순교자 집단이라도 소모품 취급할 순 없어.

AB소드라는 반칙 같은 무기 덕에 단 일격만으로 괴수를 죽일 수 있게 된 기적을 져버려선 안 되지.

확실히 죽여야 해.

후방 지휘는 다니엘, 전방 지휘는 레오.

그럼.

사냥이다.

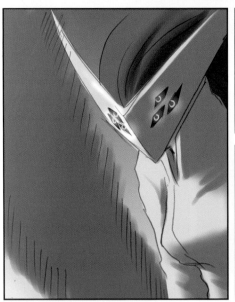

초격은 제이와 레오.
녀석의 출력은 한계다.
철저히 소모시켜.

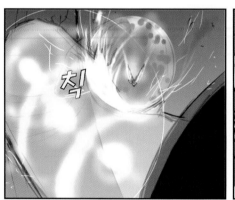

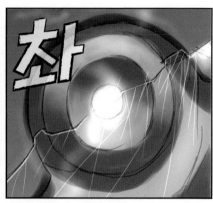

실드가 얼마 안 남았다!!! 계속 소모시켜!!

SIF 미사일을 뿌린다!!

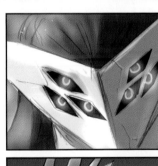

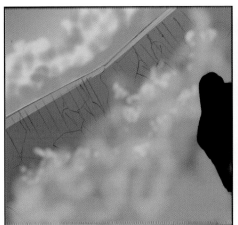

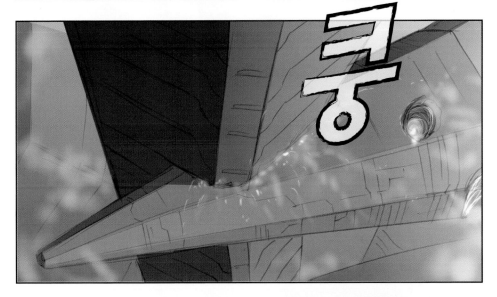

…워프마커
변경이 늦었나?

설마 저게
보고에 있던
…

소형기 단독으로
워프해 오다니…
적은 이미 레벨 5의
생체게이트까지…

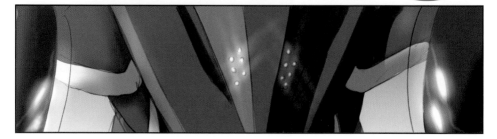

제2영식 블루비틀
第二零式 Blue Beetle

제7종 강습무장
第七種 強襲武裝
34식 자색입자포 4문
三四式 紫色粒子砲 四門

떨어뜨려!!!

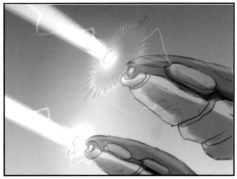

응

좌

아

회피 없이 견뎠다!?

저건?

중앙에서 개발 중인 보아닉 공명식 실드…

영식 2기의 합류를
저지한다.

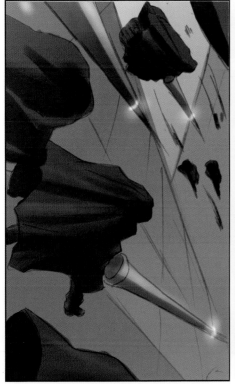

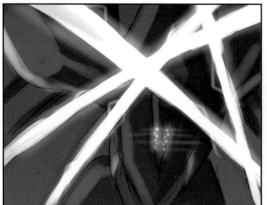

카
가
가
가
가
가

영식이 2마리…

일단 5형 같은 녀석부터 처리한다.

?!
까
앙

완벽히 맞춰서 상쇄시켰다?! 영식도 아닌 5형이…

거기다 저 기술은…

테크닉만 보면 네임드나 준영식급.

이 녀석이고 저 녀석이고 이건…

이…
물러서.

형!

…고출력
만능형 영식에
정체불명
상위괴수.

영식만 2마리야.
섣불리 덤비다간
시체만 늘어나.

하지만…
칫!

날아오릅니다!

쿠

특수탄 모두
쏟아부어!

으직

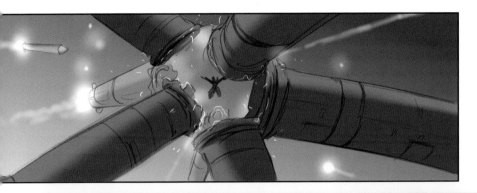

마난급 하강!!!

아직도 작동하고 있었나?!

언노운 영식 건재! 회피기동도 없지만 저 특수 실드는 도저히…

중력장 검출.
실드 최대치.

카난기 실드의
보호 범위 내에서
벗어나지 마십시오.

...형.

아무 말도
하지 마.
알고 있어.

우리들의
패배다.

part 23. 퇴각 |뢰|

part 24

꺼내드릴게요.

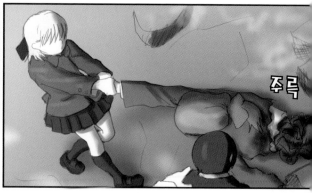

주륵

생체 반응 없음.
약 3분 전 기능이
정지했습니다.

…저기
어떻게 하면…

어쩌긴
죽은 거지.
끝났어.

엄마…
흑…흐윽…

하지만
울잖아요.
…끝나면
안 되는데…

이 아이
굉장히…

아파
하는데…

'아파한다'라…
그래. 슬픔도
아픔이지.

원래 그런 거야.
어쩔 수 없어.

불행히도
네 제조 목적상
이런 장면을 자주
접하게 될 거야.

모두가
아파하는
모습을…

인간과 유사한
감정기관을 네게 넣기로
한 건 사실 내 결정이야.
미안하게 생각한다.

그래도 너를
감정을 가진 아이로
만든 건…

아픔을
공감함으로써
성장하길
바라서다.

그 녀석처럼
하나라도 더
살리려고 발버둥
치다 보면…

가슴의 응어리가
그나마 조금은
풀리게 될 거야.

꾸욱

…발버둥.

미안하다. 네가 다 잡은 걸… 결국 우리는 아무것도 하지 못했어.

…됐어. 적이 강했을 뿐이야.

하지만 이렇게 쉽게 기지와 병력, 기사까지 잃은 건 뼈아프군.

동부와 AE 합작 연구인 오로라시스템.

그리고 중앙에서 기밀이었다는 모글레이던가?

거기다 중앙의 보아닉 공명실드까지…

그렇다면 이건 게이트 폭파 직전 받은 데이터로 분석한 E-34에 대한 우리의 추측이 옳다는 의미야.

앤을 중요 참고인으로 구속한다.

그게 의미가 있을까? 그냥 네가 보호하고 싶은 거겠지.

이번 적은 이미 기존 괴수나 영식의 범주를 벗어났어. 기술은 우리 것과 동일하고.

…

엄마가…
죽었…어?

…아빠…도?

거짓말…
방금 제프도
여기서 죽었는데…
어째서…

…

이곳 사람들은 누군가를 잃는 것에 익숙하지 않다.

괴수 침공에 대한 아무런
대응 매뉴얼도 없는
절대방위라인 안쪽의 행성.

대피가 제대로
이루어지지 않아서
사상자가 더 많아.

…적 대응보다
민간인 대피를
우선했어야 했는데…
게다가 결계 효과
때문에 앞으로 더…

실례합니다.

…앤 마이어
기사님이시죠?

AE와 기사단의
신연합 사령부 발행
구속영장입니다.

현 시간부로
기사님의
신병을 구속.

이번 사건의
중요 참고인으로서
조사에 응해 주셔야
하겠습니다.

속

됐어.

하지만 엄마
우린…

일단 가 볼게.
모글레이나 관련
정보도 인계해
줘야 하니까.

걱정 마.
가더라도 한 번 더
만나러 올게.

그리고 겨우 며칠 만에 이 행성은 겨울이 되었다.

AB소자 원료가 다량 필요한데 중앙이 사라졌으니 방법이 없군.

현재 속도로는 결계 제거에 7개월 이상 걸릴 테고

제거한다 해도 외핵 순환이 멈춰서 이 행성은 이미…

앤에게 들은 모글레이의 결계…

사상력을 이용한 공간 고정으로 조금씩 행성의 자전축과 공전축을 어긋나게 하고 있다니… 물리학 씹어 먹는 소리구먼. 사상력이 도대체 뭐야?

거기다 검 자체가 일종의 파형 병기… 행성 외핵의 순환을 정지시키다니…

사상력인지 뭔지가 사라져도 이 행성은 끝장난 셈이다.

이봐요
일어나세요.

이미
얼어 죽은 것
같은데…

현재
이 행성은…
아니…

우리 인간은
일찍이 없던 위기에
봉착해 있습니다.

현재 행성폐기등급
피난 절차에 따라
최선을 다해 대응을
하고 있지만 시간과
상황은 점점 한계에
이르고 있습니다.

혼란을 틈타
테러가 기승을 부리고
발티아 행성 정부는
주요 각부 장관이
도피하는 무책임한
행태를 보임으로써

더 이상
이 상황을 타개할
해결책도 리더십도
기대할 수 없는 것이
사실입니다.

12번지에
폭동 발생.
지원 바란다!!

저희가 모두의
안전을 보장할 수는
없습니다.

모두를
구할 수 있는 건
저희나 행정부가
아닙니다.

아이를
지키며

최선을 다해
살아남아 주시기
바랍니다.

연설에서
기사단의 영웅적
면모를 어필한 게
의외로 효과가
있었어.

대피 상황은
나쁘지 않아.
하지만…

우리뿐만이 아니야.
적이 워프마커를 하도
해킹하는 바람에
게이트 통신이 어려워
이제야 알았는데…

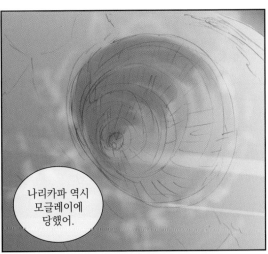

나리카파 역시
모글레이에
당했어.

달티아, 푸안…
대규모 기지가 있는 곳은
전부 다.

그 무식한 영식과
4기의 모글레이로
고랭크 여왕 몇 기
이상의 피해를 냈어.

…이미
여력은…

현재 상황에서 아린 공략전은 실패할 가능성이 높다고 보고 방어 및 체제 확립을 우선하기로 합니다.

적어도 신연합은 병력의 재구성이 진행될 3개월간…

아린을 포기합니다.

…

…

이의 없으신 것으로 받아들이겠습니다.

신연합은 각 행성 방위에 주력하고 기사단과 최소 인원만 E-34 대책위원회로 분립, 초계임무를 계속합니다.

그럼 회의를 마칩니다.

우리도 피난 시드를 줘!!

우린 죽으라는 거야?!!

아이만이라도!! 아이만이라도 셔틀에 태워 주세요!! 이대로는 얼어 죽는다고요!!

여긴 대피 기지가 아니라 전투함밖에 없다니까…

철컥

고무탄 장전해!!

통

통

비살상 탄환인지 다시 확인하고 아래쪽으로 쏴!!

…다들 살려고 난리네.

결국 4등급 기상이변이 오기까지 다 대피할 수 없다는 계산이 나오니까…

인간성이고 뭐고 다 바닥난 거겠지.

어차피 모두를 살릴 순 없어.

최대한 선별해 많은 수를 살리려 애쓸 뿐이지.

신별이라… 쓸모있는 자만 가려내겠다니 아주 전지전능한 존재가 되셨네?

비꼬지 마. 관리자는 결국 산술적으로 생존율이 더 높은 선택을 할 수밖에 없어.

언제부터 그렇게 감수성 풍부한 휴머니스트가 됐다고 그래?

괜히 욕먹고 적을 만드는 입장에 설 필요 없잖아. 그냥 다 뒈지게 내버려 두지.

어차피 살 놈은 살아.

애매한 기준으로 살려준다고 나서니까 다들 살려달라고 달려들잖아.

봐 저 기대하는 눈빛들을.

결과적으로
많이 살면 뭐해?
결국 죽을 사람을 골라내
증오의 대상이 되어야
하잖아.

우린 애초에
그런 감성 같은 거
없었잖아.

빌어먹을
괴수가 미워서
기사가 됐지.

왜 앤 아줌마를
따라 하려는 거지?
왜 없는 감성을
쥐어짜내는 거야?

…내가 안 하면
앤이 할 테니까.

그녀는 내가
아니… 우리가

잃어버린 걸
가지고 있어.

흥, 그래서
예쁘게 새장 안에
가두고 키워
보려는 거야?

오로라라니
장관이군.
기상이변도
나쁘지 않네.

체계가 엉망이긴 하군.
뮤타의 정보부원과 같이
근무를 서게 될 줄이야.

돔형 도시 밖은
이미 아수라장이라던데…
이 구 정보부 건물은
왜 지키는 거야?

탑 위에서 공주님이
머리라도 기르고
있나 보지?

카운터 나노머신
주입은 끝났고…

이걸로 체내 의료 나노머신은 사라질 거야.

네 몸 상태로 C형 나노머신 없이는 일상생활도 힘들 텐데 무슨 짓인지 모르겠다.

체내 나노머신과 내 적파라는 파동기는 상성이 최악이라서. 파동기의 영향으로 나노머신의 데이터가 엉키면 오히려 더 위험해.

없어도 위험한 건 마찬가지야. 꼭 정기 검진을 받아야 해.

응.

네 주치의가 날 죽이려 들걸?

무리한 부탁 들어줘서 고마워 판.

드라이 괜찮잖아.

남자 복이 있는 건지 없는 건지.

방법은 웃겨도 네가 난리칠 걸 아니까 한 짓이고.

관심 없나 보네. 무슨 생각해?

아린.

꺼져 보라돌이.

질 미안… 프레이 너 말이야….

너희 덕에 내 신경성 위염은 최고조에 달했어.

둘은 언제나 즐거워 보여.

내 수업 수강신청 철회해 주면 안 될까?

ー 즐.

베ー

내 자리를 넘보는 것 같아 불안한데 연습 좀 적당히 해.

와~ 누나 친구 잡지에서 본 기사야. 근데 화장빨 사진빨 빼니까 실물은 좀 되게 아니다.

미…미안해요. 애가 철이 없어서…

그리고…

앤!!!

두고 온 게 너무 많아.

프레이가…

보고 싶어.

아린에 가야 해.

part 24. 겨울 |끝|

part 25

헤헤헷~

드디어 구했다!

…뭐야…

난 앤이 없으면
웃을 수 없는데…

어째서 앤은…
내가 없어도
웃을 수 있는 거지?

저 녀석 또
정식 기사를 상대로
칼도 방호구도
없이…

어차피

상관없잖아.

프레이의
압승이다.

능력치만으로는
절대 예상할 수 없는
오직 승리라는 결과를
만드는 재능.

…저런 게
교육생이라니
무서워서 어디
기사라고 하겠어?

그보다 왜 이리
저기압이야
저 녀석.

글쎄요.
이번 공개 실전
테스트에 저리
의욕적이진
않았었는데.

벌써 다 당했나?
저렇게 압도적이면
평가가 안 되는데.

초상능력 연구소장
키르케… 예산 깎였다고
프레이한테 감정 있던데
이번엔 입 다물고
염탐이군.

알프까지.
이렇게 귀한
손님들이 오셨는데
볼거리가 없잖아.

마스터기사들은
져서 체면 구길까 봐
나서지도 않고.

이건 볼거리가
아니거든요.

이미
프레이 실력에
충분히 식겁한
모양이고.

분위기 좀 띄우자 앤. 어차피 네 실력도 공개할 계획이었으니까.

라이&데이의 2검을 허락하마. 번호는 없어도 정식 검 못지않아. 모두를 깜짝 놀라게 해 줘.

예.

오늘은 왜 이리 가차 없는데?

킹

킹

프레이.

…앤이 나와 버렸네…

지금은 좀 싸우고 싶어서. 싸우는 동안은 잡생각이 안 들거든.

안전장치 해제

슬슬 몸도 풀리고 기분 좋게 싸울 수 있을 것 같아.

프레이 오리진 · 125

진검? 둘 다 안전장치를 풀었어?

방어구 없이 무슨 짓이지?

앤이 2검을 들었어.

힘 조절은 질렸지?

스트레스도 풀 겸 처음부터 전력으로 와.

그럴 생각이야.

어떻게 하면 안 죽나 신경 쓰기 귀찮아지던 참이니까…

지…지금까지
풀스피드가
아니었단 거야?

빨라!!

공간도약도
아니고
발 힘만으로?

게다가 지금
그 일격을 막은
저 교육생은…

…그래 뭐라고 해도
역시 난 너밖에 없어.

내 검을
받아내는 것도…

그리고 내 마음을
줄 수 있는 존재도.

파

캉

!?

투 팍

프레이식 이검류
종베기 '벼락'
pray式 二劍類
縱斬 '震'

프레이식 종베기
'벼락' 역위
pray式 縱斬
'震' 逆位

관람석 실드 손상.

느려.

part 25. 두 사람의 시절(상) [끝]

part 26

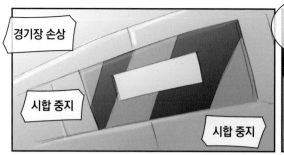

경기장 손상

시합 중지

시합 중지

초상능력전을 대비해 만든 경기장이…

저 아이들…

어때 쌈박하지?

경기장이…

뭐야 저 일격…

졌어.

지금 봤어?! 공간이 일그러졌어!!!

나름대로 열심히 했는데… 올해도 너한텐 승률이 3%도 안 나오겠네.

결국 스승은 못 뛰어넘는 건가.

…앤 정도밖에 없어.

내 전력을 끌어내는 건.

……

…

왜 그래
아까부터?

뭔가 속상한
일이라도 있어?

아니.

…앤.

아무것도
아니야.

어차피…

…이제 나만을
봐주는 건 이렇게
싸울 때 뿐이면서…

역시 반장은
굉장하네.

저 괴물하고
저렇게까지
싸울 수
있다니…

하지만 역시
저 재수 없는
꼬맹이는 못 밟는
건가… 쳇.

어쨌든 대단하다. 이미 교육생은커녕 웬만한 기사조차 상대가 안 되잖아 둘 다.

좀 실력교류를 하고 싶어도 저 꼬맹이가 항상 방해야.

역시 저 녀석 상대는 앤뿐인가?

앤은 왜 저런 성격 파탄 꼬맹이하고 맨날 붙어 다니는지 원…

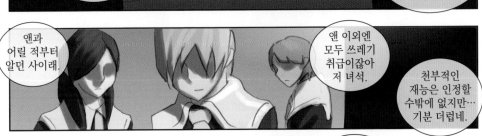

앤과 어릴 적부터 알던 사이래.

앤 이외엔 모두 쓰레기 취급이잖아 저 녀석.

천부적인 재능은 인정할 수밖에 없지만… 기분 더럽네.

프레이 보러 온 사람들 좀 봐. 레온하르트가의 당주야.

옆에는 시린성을 구한 마스터나이트. 나이츠 과월호에서 본 적 있어.

남부의 전 단장 알프와 그 수행기사 나이첼.

저런 거물까지 프레이를 보러 왔어.

저쪽은 프레이에게 당해서 약점을 캐러 온 녀석들이네.

응? 저건 마라기오잖아! 저런 고위기사도 당한 거야?

진짜 괴물이네 저 꼬맹이…

기분 나빠 저 녀석. 우리는 완전 무시하면서 사고만 치고…

앤도 저 녀석이 벌인 일 수습하다가 기사 승급에 떨어진 거잖아.

실전에서도 폭주나 하고… 인성이야말로 기사단의 주요 덕목 아닌가?

앤은 아무리 알던 사이라도 그렇지 저런 거랑 어울리고 싶나?

뭐 프레이를 말릴 수 있는 건 앤밖에 없는 것도 사실이지만…

꼬맹이 편입 후에는 우리랑 잘 어울리지도 않고…

꼬맹이가 앤을 독점하고 있으니 요즘엔 앤도 멀게 느껴져.

천하의 앤도 애 보기 신세구먼.

그거 알아? 질이 입원한 것도 사실 프레이 때문이라는 소문이…

멀어진다.

2호실의 란도 프레이 때문에 죽었다는 소리가 있던데 저렇게 감싸주고 싶을까?

앤이 멀어진…

적당히 해 너희들!

어디서 이상한 소문만 듣고 와서는 다 프레이 탓 프레이 탓…

너희들이 찌질한 것까지 프레이 탓이냐?

프레이가 없었다면 3반 녀석들은 살아 돌아오지도 못했어.

자기 자신은 보지 않고 남 탓만 하니까 좋지?

프레이가 어떻게 강해졌는지, 어떻게 살아왔는지도 모르는 주제에…

앤 왜 그래! 너답지 않게!!

이…일단 놓아 줘 반장!!

왜 흥분하고 그래? 어느 정도는 사실 아냐?

앤…

됐어 앤.

밥 먹으러 가자.
핫도그 먹고 싶어.

···프레이···

식당은 문을
닫았나…

하여튼
저것들은 뒤에서
구시렁구시렁.

뭐 사실도
있기는
하지만…

성격 파탄이라거나
성격 파탄이라거나
성격 파탄이라거나.

···강조하지 마.

기사 교육생이면서
인격 수행이 부족해.

정말... 아직
애들이라니까.

당당히 말도
못 하고 질투하고
있을 뿐이야 모두.

신경 쓰지 마.
내가 나중에...

나 원래 남
신경 안 썼잖아.
단지 그 녀석들 말에
앤이 날 멀리할까
겁이 났을 뿐...

나만 보는 건
아니어도 앤은
언제나 중요할 땐
내 편이니까...

지금은
그걸로
됐어.

아...

난 말이야

앤만 있으면 돼.

부비적

앤 이외엔
필요 없어.

이젠 큰 욕심
안 부릴게.

다른 애들과
웃고 있으면 슬프겠지만
그래도 멀어지지만 않고
내 옆에 있어 준다면…
괜찮아.

뭔지 몰라도
혼자 삐치고
혼자 풀리고…
고양이 같아 넌.

야옹~

헤헤~ 그럼
4번지에서 카테의
핫도그 사 줄래?

푸른 지붕의
앤?

그 애꾸눈
가짜 신부를
협박해서 겨우
구한 거라고.

역시 기억
못 하나?

52년 된
종이책이야.

파올성에서
초판이 나온 후
다시 나온 적이
없는 희귀본이지.

종이 자체도
요즘엔
귀중품이고…

웹에 올리면
30만 달러도
넘을걸?

그걸
공짜로 뜯어…
아니 얻어온
거냐?

그런데 그게
나랑 뭔 상관이야?

기억 못 하면 됐어.
나중에 알려 줄게.

사교성 없는 거야 알지만 그래도 일부러 외톨이가 되지는 마. 친구 하나둘 정도는 만들어도 되잖아.

왜 그리 타인을 멀리하는 거야? …말 걸어도 무시하고 방해되면 망설임 없이 공격적으로 대하고.

그냥 싫으니까. 생리적인 혐오감.

…앤 외에는 말이지.

애들도 선생도 다른 기사들도…

모두 다… 싫어.

…

앤도 이런 내가 짜증 나지?

무리해서 같이 있어 주는 거 알고 있어.

사실 앤도 자기까지 다른 애들 눈 밖에 날까 봐 곤란한 거 아니야?

어차피
나 같은 애…

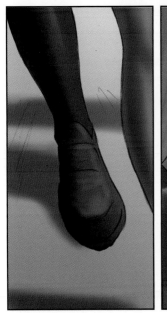

그런 소리
하지 마.

난 네가
너이기 때문에

응.
나도 같이
있고 싶어.

언제까지고…

쭉 함께…

아니. 시집갈 때까지만이지.

잠깐 앤… 뭐야 이 단호함은? 난 안 떨어질 거야!

…그래그래… 그럼 잘 때만큼은 떨어져 있어.

무…무슨 짓을 하려는 거야?! 앤 음란해!!! 색녀!!

새…색 뭐시기?! 누가 들으면 진짠 줄 알겠네! 남들 다 하는 거잖아!!

시집 같은 거 가면 안 돼! 결국 단물 다 빨린 다음 버려질 거라고!! 티비에서 봤어!

…… 그런 수상한 아침 드라마는 좀 그만 봐 인마…

여전히 프레이는 너만 보는구나.

뭐 그 애들 마음도 이해 못 할 바는 아니지만…

흐음… 역시 보통 사이가 아닌 것 같아…

기억도 안 날 만큼 오래된 사이일 뿐이야.

철들기 전부터 같이 있었으니까… 가족 같다고나 할까.

언제나 내 앞에 있었어…

폭격이 곧 시작될 거야. 그때까지 여기서…

걱정 마 갈 수 있어.

괜찮아… 내가 있잖아…

숨차…

손 놓지 마 앤.

모두가 죽음으로 내몰리던 시절…

언제나 날 지켜주던 등…

그 작은 등을 보면
안심할 수 있었어…

다른 누가 뭐라 해도
프레이는 나의 영웅이야.

모두가 프레이를
탓해도 나만은
그럴 수가 없어.

안심할 수
있는 등…

빨리 나아서
퇴원해.

이제 프레이에게
말 걸어 줄 사람은
질 너 정도밖에
없다고…

뭐 받아주는지는
둘째치고 말이지.

중앙으로 공수해 왔군 결국… 싱글 넘버이자 마스터피스인 'V'……

너무 파격적인 거 아냐? 프레이는 아직 교육생이라고.

전력에 걸맞는 걸 준비해 줘야지. 쓸 수 있는 건 쓰자는 주의라 말이지…

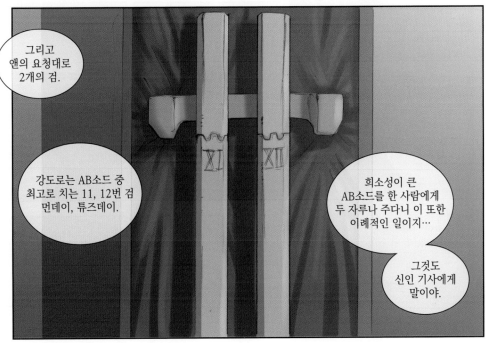

그리고 앤의 요청대로 2개의 검.

강도로는 AB소드 중 최고로 치는 11, 12번 검 먼데이, 튜즈데이.

희소성이 큰 AB소드를 한 사람에게 두 자루나 주다니 이 또한 이례적인 일이지…

그것도 신인 기사에게 말이야.

둘 다 엄청난 특혜로군.

최악의 여왕종인 엘리스 E시리즈의 대물림이 코앞이야.

특혜 시비 이전에 우린 최악의 사태에 대비해야 해. 왜 그리 자기 담당 제자를 견제하는데?

위기일수록 객관적이어야 하니까.

기사단은 단순한 무력 집단이 아냐.

아니. 기사라는 용어의 상징은 언론플레이를 위한 것일 뿐이야.

그게 중앙단장인 네가 할 소리야?

나니까 하는 소리야. 까칠하긴.

둘은 자네가 데려온 거나 마찬가지잖아.

알던 사이라 내가 담당이 된 것뿐이야. 둘이 기사가 될 지는 몰랐고.

…그 녀석들 대우가 파격적인 건 실력이 파격적이기 때문이야. 일 년 안에 너마저 따라잡을 거야 분명.

실력을 말하는 게 아니잖아.

깐깐하긴. 인간은 더욱 강해져야만 한다는 거…

알고 있잖아.

앤은 괜찮아. 하지만 프레이는… 네가 다룰 수 있을까?

하면 되지 뭐.

무리야.

그 녀석은 '자기 것' 외에는 모두 이빨을 드러내니까.

너 말이야…

죽이면
안 되잖아.

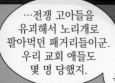

…전쟁 고아들을
유괴해서 노리개로
팔아먹던 패거리들이군.
우리 교회 애들도
몇 명 당했지.

벌받아 마땅한
놈들이지만 살인은
곤란해. 죽이면 정보를
캐낼 수도 없잖아.

뭐 이런 무법천지에
공권력도 없으니 어떻게
할 수 있는 건
아니지만…

…

이런…

배급소에서
받은 빵이
엉망이 됐네.

안 가져가?
어렵게 얻은
거잖아.

…

다음 배급은
언제가 될지
모른다고…

껴껴
대머리.

그럼 내가
다 먹는다
이거…

땅거지
새끼.

뭐 인마.

야 프레이…

그 녀석은 뭔가 뒤틀려 있어. 그 눈은 인간을 인간으로 보지 않아.
근본적으로 사람들과 어울릴 수 있는 녀석이 아니야.

흐응…
다른 건
신경 안 써.

지금 중요한 건
상징적 영웅보다
괴수를 죽일 수 있는
재능이야.

인간을 얼마나
많이 살렸는지
결과를 수치로
보여줄 수 있는
능력.

별로 마음에
들지는 않는
생각이군.

뭐 틀린
말이라고는
안 하겠어.

하지만…
분명 후회할 거야.

어떤 결과가 나올지는
모르겠지만.

그해 가을…

프레이 마이어와
앤 마이어는

모든 과정을
최단 기간으로 수료한
기사가 되었다.

part 26. 두 사람의 시절(하) |끝|

part 27

네 바람대로 루인사의
비밀시설을 발견한 기사가
모두 죽었다면 좋았겠지만
앤이 퇴로를 뚫었네?

그리고 하나 더.
네 탈출 계획에는
내가 상위괴수 5기를
모두 10분 만에 전멸시키고
여기 도달할 거라는
계산은 없었겠지?

정말 하는 짓이
뼛속까지 찌질해.

자…잠깐
기다려…
오해야…

난 루인사와
아무런 관련이
없어…

하아 하아

프레이…
혼자 갔다면…
안돼 프레이…

…라고 할 줄 알았냐?
내 사정거리에서
방심하고 있…

분명
네가 먼저
뽑았다?

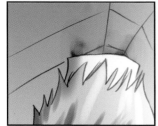

들었지?
이 녀석 루인사의
시설 은폐를 위해서
우리를 함정에
몰아넣은 거.

아 얘…
금방 왔네.

막
처리했어.

툭

하지만 걱정 마.
내가 너를 위험하게
만드는 녀석들은…

무슨 짓이야…

사람을
죽이다니…

응
죽여 버렸어.

앤을 위험하게
한 녀석이니까.

!!!!!

너…!!!

너!!!!!

콱

자신이
무슨 짓을 한지
모르는 거야?!!

기사를…
사람을 베다니!!

게다가 아직
기사단을 배신했다는
증거도 없잖아!!

기사단?
배신?

무슨
바보 같은
소리야.

다른
멍청이들이나
기사단 따위
상관없어.

언제나
그랬지.

프레이 오리진 ⅰ 167

당연히 앤,
널 위험에 처하게 했기
때문에 죽인 거야.

언제나처럼.

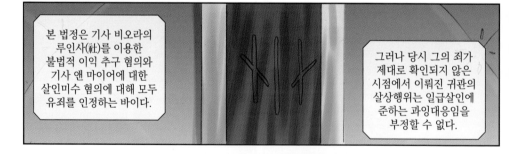

본 법정은 기사 비오라의
루인사(社)를 이용한
불법적 이익 추구 혐의와
기사 앤 마이어에 대한
살인미수 혐의에 대해 모두
유죄를 인정하는 바이다.

그러나 당시 그의 죄가
제대로 확인되지 않은
시점에서 이뤄진 귀관의
살상행위는 일급살인에
준하는 과잉대응임을
부정할 수 없다.

따라서 기사 직위
해제 및 20년 이상의
징역형에 처하는 게
마땅하다 하겠으나…

귀관이 오코넬리전에서의
활약을 비롯해 지금까지 수많은
공적을 남긴 기사라는 점과
비오라의 혐의가 입증되었다는
정상을 참작해 귀관의 직위를
견습기사로 강등하는 것으로
재판을 마무리 짓고자 한다.

이에 위원회는 E-99, E-101이 동시 침공 중인 벨치스에 귀관을 투입하고자 한다.

단 여기에는 조건이 있다.

보고를 통해 들었겠지만 귀관이 오코넬리에 있는 동안 벨치스의 상황은 최악으로 치달아 기사단은 현재 괴멸적인 피해를 입고 있다.

언제나 기사단을 궁지로 내몬 엘리스타입의 등장이 귀관에게 선택의 기회를 준 것이 사실이다.

현명하게 고려하기 바란다.

진심으로 반성한다면 형기를 채우기보다 이 제안을 수락하길 바란다만 귀관의 생각은?

예 마음속 깊이 반성하고 있습니다. 제 잘못이 괴물들을 찢어 발기는 걸로 갚아진다면…

…호오…

반성? 마음에 없는 말도 할 줄 알다니… 나름 어른이 된 건가?

진심이야. 반성하고 있어. 다음엔 몰래 죽여야지 하고.

…역시 기대한 내가 어리석었군. 결국 네 본성은 변하지 않네.

대상이 자신에서 앤으로 바뀐 것뿐. 피온이 울겠어.

재판을 종결한다. 프레이 마이어. 그곳에는 50년 만에 출현한 SS급 영식 크로스아이가 있다. 부디 건투를 빈다.

견습기사로 강등된 자네의 책임기사는 당사자 간 합의에 따라 앤 마이어로 결정됐다.

애애애애~~~~앤!!!

까득

도대체 뭐가 문제야?

그래. 타인밖에 모르는 앤 말대로라도

루인사를 위해 기사단을 혼란에 빠뜨리고 앤이 그토록 챙기는 잘난 사람들을 위험에 빠트렸을지 모를 최악의 인간은 맞잖아?

프레이… 네 실력이면 충분히 죽이지 않고도 끝낼 수 있었잖아.

게다가 넌 그런 명분이 아니라 나를 보호하겠다며 살인을 택했어.

그래서?

만약 누군가 다시 앤을 위험하게 만든다면…

난 망설임 없이 벨 거야.

그게 괴수든 인간이든.

거리에 아무도 없어.

우리가 오코넬리에 있는 동안 몽땅 벨치스에 투입됐대.

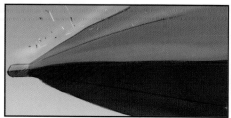

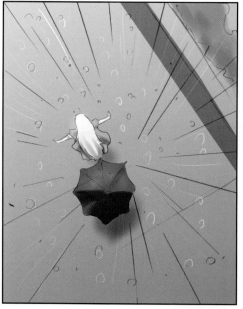

프레이 우산···

흥.

비 많이 온다!

…화…
많이 났어…?

…얘…

싫어졌어?

…내가 사람을
죽여서…

…감기 걸려.

…됐으니까
들어와.

차아아아

…미안해…

제발… 나…
미워하지 마…

미워서 탓하는 게
아니란 거 알잖아.
난 프레이를 미워해
본 적 없는걸…

응…
다행이다.

프레이가 날 떨쳐낼 수 없듯이
나도 결국 프레이를 떨쳐낼 수 없다.

그리고 계속해서 상처를 주고받는다.

우리는 서로 깊고 강하게 연결되어 있으면서도
동시에 '이질적인 존재'이기도 하다.

그래도 그때는…

그것만으로도 좋았다.

최악의 전장인 벨치스로 향하는 것 따위
신경도 쓰이지 않을 만큼
내 품에 안긴 프레이의 온기가
무엇보다 중요하게 느껴졌으니까.

part 27. 떨쳐낼 수 없는 것 |끝|

part 28

하늘에는 괴수밖에 보이지 않았고

사람들은 계속 죽어갔다.

병사들은 이곳을 지옥구덩이라고 불렀다.
아는 얼굴 대부분이 목숨을 잃었고

우리가 이곳에 온 지도 6개월이 지났다.

마지막 기회다.

일단 공중지원을 막아!!!

다리다! 다리를 노려!!

워킹쉬림프 다운!!!

쿵

GO GO GO!!!!

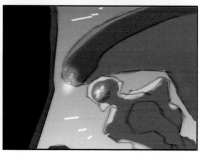

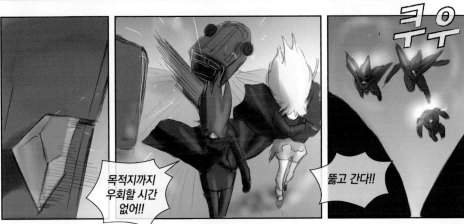

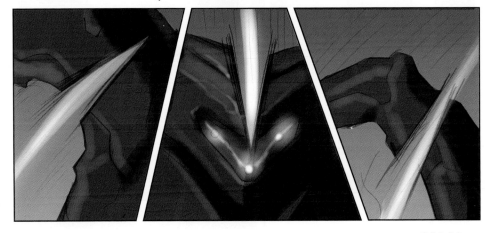

이쪽으로 온
괴수는 다
정리했나…

몇 놈이
산개를 하는
바람에 좀
늦었군.

드라이.

너희 존재를
눈치챘어. 87기가
이쪽으로 온다.

안전한
—루트라며…

맡기고 가. —
죽어도 막아낼 테니.

—꼭 죽어. …

미안하지만 세기의 대결을 방해하게 내버려 둘 수는 없지.

벌써 150은 넘긴 것 같은데… 나도 세기의 개고생이로군.

영식의 유인은…

일단 호위부대와 붙었지만 크로스아이가 낚일지는 모르겠군…

엔진출력
저하!

상위괴수
77형이 붙었어!
포기해!!

츄아

함선을
포기하고
포격한다.

펑

리버럴 다운!

이 정도 손해는
감수하고
밀고 나간다!!

전방 노심반응!

킹

크로스아이 알파, 베타 입니다.

둥지를 노린다! 여왕 보호를 위해 상위괴수 무리와 떨어져 나왔어!!

유인 성공! G-34 위성 시스템 작동까지 어떻게든 버틴다!

통

통

적의 사상병기에 이 함의 방어 시스템은 종이 방패에 불과하다!

소형기동함 라멜 투입!

인게이지!!!

쿵

철컹

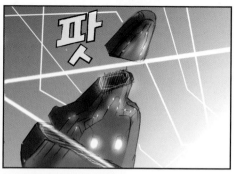
팟

전기 격추!

대 상위괴수함이
3초도 안 돼서…

바리사다…

급속 접근!!
영식의 실드패턴은
이미 파악했잖아!!

엔진 폭주시켜
배리어 형성해!!

철컥

하지만
적의 무기가…

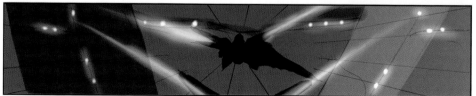

뭐야 저게?!!!!
저게 바리사다의
사상력인가?

기함 파인만
다운!!!

G-34
차지
완료!!

천벌을 내린다!!

그래…
이건 소형기가
버틸 수 있는
출력이 아니지.

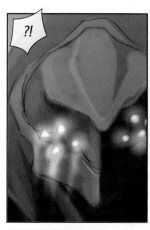

?!

콰

영식은?

건재합니다.

사상병기로 모두 분산시킨 모양입니다.

그래도… 땅에 떨어뜨렸다. 그것도 저 둘만 무리에서 떼어 내서.

쿠

우

우

그래.

치이익

예정대로…

우리만의 무대가 완성됐어.

이 6개월 동안 같은 상대와 24번째 대전이다.

part 28. 벨치스 |끝|

part 29

knight Run

여기가
마지노선이다.

양산기들을
AE가 못 막으면
기사단도 저 숫자는
감당 못 해.

그리고
기사단이 상위괴수를
막지 못하면 AE도
끝이지.

드라이 잘 좀 태워 봐.
역대 기사 상위괴수전
전적 기록 갱신해야지.

1시간 전에
이미 넘었어요.
마일로 씨.

아직도
몰려오다니…
이 기록은 한 세기는
가겠군.

살아나면
전설로 남겠어
우리.

둘 중 하나만 밀려도
앤과 프레이의 영식전은
이루어질 수 없어.

지금 크로스아이에
대적할 수 있는 건
그 둘 뿐이다.

이 힘의 균형이
붕괴되면

이 7개 행성은
물론이고 온 인류가
멸망의 위기에
놓일 거야.

두 명을
믿어 봐야지.

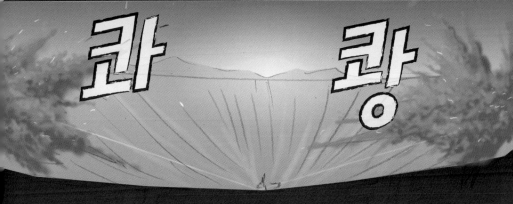

응

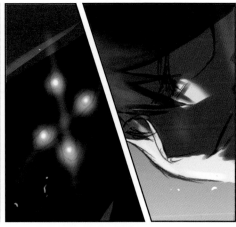

청색 유성검
青色 流星劍

적색 유성검
赤色 流星劍

월검진아
月劍眞牙

태양검 이검 진아
太陽劍 二劍 眞牙

뭐지
저 빛은?

170년 전 사상병기
상성실험 당시의
사상력 소멸 효과
기록과 비슷해.

정말
대등하게 싸우고
있는 건가?

저 55년 만의
SS급 영식 둘을
단 두 명이…

거기에
프레이가
만들었다는
청적파라는 게
여기까지?

둘의 파동기는
이 싸움으로
제련되어

사상병기에
가까운 적청의
빛으로 나뉘었어.

적을 이기고자
적과 닮는다…

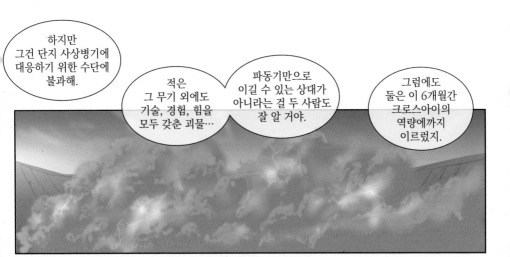

하지만 그건 단지 사상병기에 대응하기 위한 수단에 불과해.

적은 그 무기 외에도 기술, 경험, 힘을 모두 갖춘 괴물…

파동기만으로 이길 수 있는 상대가 아니라는 걸 두 사람도 잘 알 거야.

그럼에도 둘은 이 6개월간 크로스아이의 역량에까지 이르렀지.

차

악

감당할 수 없는 적을 이기기 위해 감당할 수 없는 힘을 가진 자가 탄생하는 순간을 보고 있자니 기분이 좀 묘하군…

불리던 엘리스타입 E-33의 등장 이후 기사단과 AE 연합은 공고한 협력 체제 구축으로 큰 피해 없이 모든 성계 방어를 마치고 마침내 작년 인간의 시대를 선언했지만
극심한 소모전 양상을 띤 오코넬리전에 이어 이번 벨치스 사태까지 더해지면서 55년 동안의 안정은 크게 위협받게 되었습니다.
연합과 AE, 기사단 모두 전례 없는 규모의 피해를 입었으며 5개 행성과 15개 자원소행성이 침식됐습니다.
이번에 SS급 영식 2기와 함께 출현한 상위괴수의 수는 약 900여 마리로 이는 지난 15년간 전 성계에 출현한 상위괴수의 수보다 많은 것입니다.
이미 연합군 전력의 3분의 1에 해당하는 137개 함대가 전멸했으며 기사단의 사상자 수는 아직 공식적인 발표가 나오지 않았지만 소식통에 따르면 이미 3자리 수를 넘었을 것으로 보입니다.

민간 사상자는 추산조차 되지 않고 있으며 항간에는 1억 명을 넘을 거라는 이야기도 나오고 있습니다.

기사단은 연합 전력의 극심한 손실에 이어 성계 1차 방어의 핵심인 함대까지 잃을 수는 없다고 판단해

베테랑 기사들과 3기의 고대함(古代艦)으로 구성된 부대로 높은 실패율을 무릅쓰고 대기권 워프를 강행, 기습을 가했지만

크로스아이로 명명된 영식의 믿을 수 없는 전투력에 대부분 전멸했다고 DF통신은 전하고 있습니다.

이미 적은 생체게이트까지 완성했으며 주변 성계의 대규모 침공이 예상되고 있어 행성민들의 피난 행렬이 끊이지 않고 있습니다.

실제로 소규모 침공은 현재도 계속되고 있으며

안전지대로 여겨지던 라판성의 수도 라인하임은 상위괴수 2기와 양산기 2개 부대의 공격을 받아 괴멸 직전인 상황입니다.

······

TUC

AE는 벨치스 방어에 전력을 다하고 있어 계속해서 지원이 늦어지는 가운데 민간 피해자가 속출하고 있었습니다.

전문가들은 앞으로도 현재 수준의 피해가 지속될 것이라 전망해 많은 연합의 시민들이 불안감을 감추지 못하고 있습니다.

프레이는 목숨을 걸고
날 지켜준다.

킹

프레이식 청파기공 육합 괴산
pray式 靑波氣攻 六合 壞山

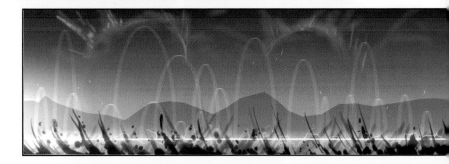

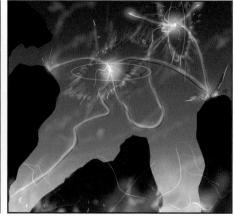

서로 소중한 것을 지키기 위해…
아니, 프레이의 소망을 이용해
모두를 지킨다는 나의 강박적인 소망을
이룰 수 있었다.

피난 준비
안 하고 뭐 해?

아직… 그 영식과
싸우고 있어…

이거 무인기
실시간 영상이야?

기사님이…
아직까지 살아서
저 악마와…

정말?

아직도?
말도 안 돼…

금방
죽을 거라고
다들…

혹시라도
이길 수 있지
않을까?

비켜 봐…

…살 수
있는 거야
우리?…

나이츠에서
본 적 있어
저 기사님…

이길 수
있다고?
진짜?

제발…

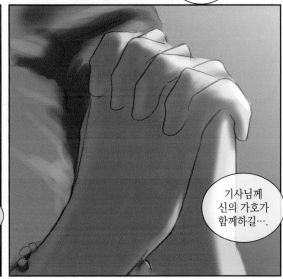

기사님께
신의 가호가
함께하길….

그것은 모든 걸 뛰어넘은 기적 같은 싸움.

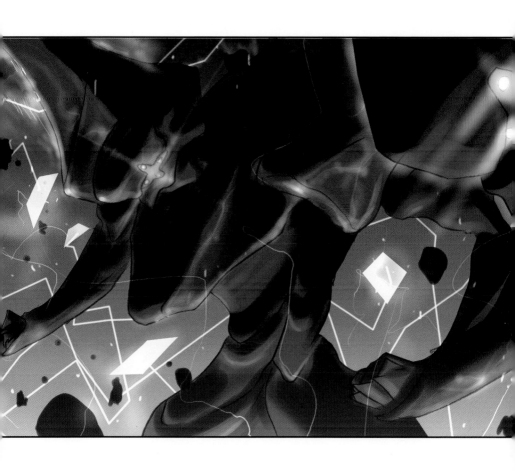

모든 것이 기적으로 이루어진 순간들.

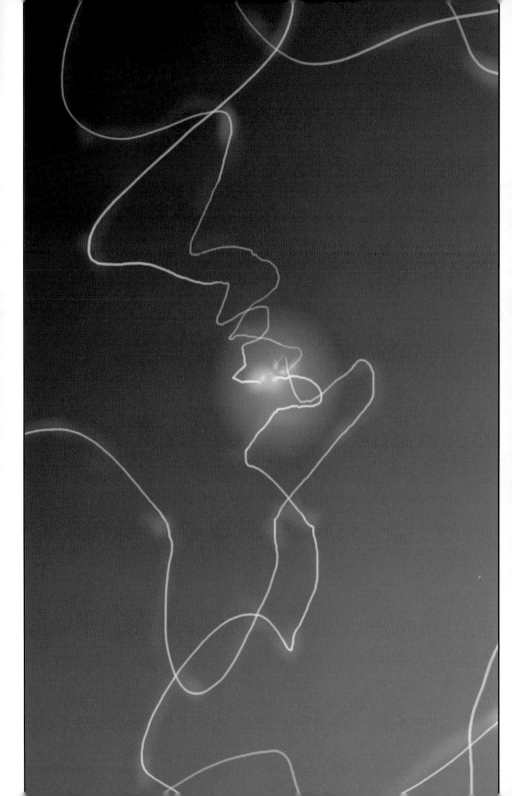

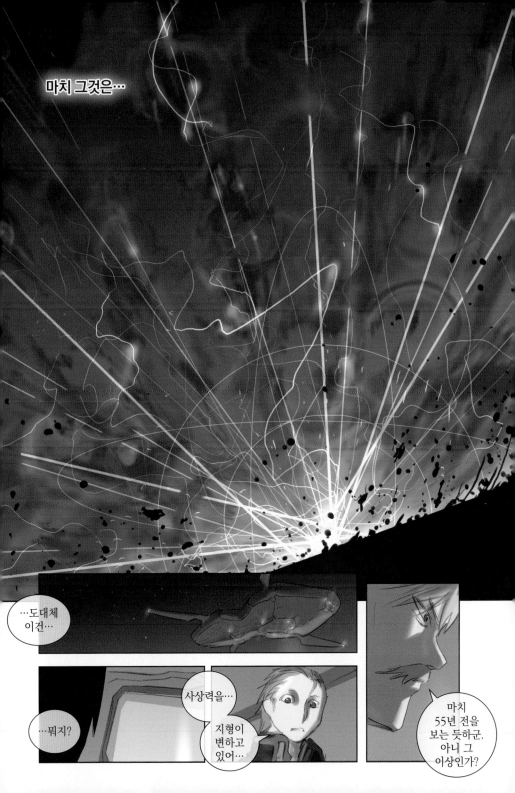

마치 그것은…

…도대체 이건…

…뭐지?

사상력을…

지형이 변하고 있어…

마치 55년 전을 보는 듯하군. 아니 그 이상인가?

어쨌든 지도는
다시 그려야 하겠군.

신화는 과장과 거짓…

그리고 무엇보다도
많은 시간의 경과를 필요로 한다.

하지만… 이 싸움은 분명
현재 눈앞에서 벌어진…

'신화(神話)'다.

역대 최강의 기사라 평해지던 두 기사가
함께 있던 시절의 이야기.

말도 안 돼…

정말로 전쟁이
끝나 버렸어…

우주력 422년 8월 4일.
많은 희생 끝에 벨치스 공략전이 승리로 끝났다.

집에 돌아가면
이번엔 정말
마누라한테
잘해야지….

나도 역사에
길이 남을 성과를
남겼다고
생각했는데…

주인공은 역시
그 두 사람이군…

어딨지?

저쪽에서
자고 있어요.

뭐하는
거야?

UW 페이지에
동영상 올려서
자랑해야죠.

part 30

벨치스전의 영웅들.
그리고 최강의 기사 프레이.

그 화려한 스포트라이트는
프레이의 두 번째 살인으로 최악의 여론과 함께 빛이 바래 버렸다.

그리고 그해 여름 나는 중앙기사단을 떠나 북부기사단으로 향했다.

그렇게 7년이 지나고…

현실은 다시금 우리에게 최악의 상황을 상기시키려는 듯
악몽이 되어 찾아 왔다.

피어 습격으로부터 …일주일이 지났다.

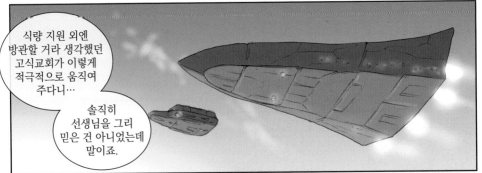

식량 지원 외엔 방관할 거라 생각했던 고식교회가 이렇게 적극적으로 움직여 주다니…

솔직히 선생님을 그리 믿은 건 아니었는데 말이죠.

도망칠 곳 따위는 없다는 걸 일깨워 준 것에 대한 보답이라고 해 두지. 연설도 꽤 감동적이더군.

덕분에 큰 고비는 넘길 듯합니다.

그런데 앤에게 정말 말할 겁니까? 앤은 모르는 편이 낫지 않을까요?

그녀가 어떻게 나올지…

담당기사였던 마일로 씨라면 눈에 뻔히 보이실 텐데요.

기사단이 독점한 정보를 퇴직기사인 내게 넘겨준 건 고맙네.

…결과야 뻔하지만… 그게 맞아.

그녀는 비련의 여주인공이 아닌 전설의 영웅으로 남아야 합니다.

기사단 재건에 없어서는 안 될 인물이니까요.

사실을 알면… 그게 뭐가 됐든 그녀는 하나를 버리는 선택을 해야 합니다.

사실을 숨긴다는 선택지도 분명 필요합니다.

그럼 일어설 수 없어요.

드라이, 그건 남이 정할 문제가 아냐.

그 선택지는 네 소망일 뿐이지.

앤은 언제나 최악의 상황에서도 자기 의지로 힘든 길을 마다하지 않았지.

속여서라도 현상을 유지해 그녀를 지키겠다는 명분은…

그녀의 삶 자체를 부정한 것과 같아.

드라이… 나에게 그 녀석들은 영웅도, 기사도, 제자도 아니야.

롤랜드에겐 미안하지만 둘이 잡은 손을 보고 있으면 '저건 어쩔 수 없네' 하는 생각이 들더라고.

세상엔 어쩔 수 없는 관계라는 게 존재해.

아무리 끊으려 해도 끊을 수 없는 인연 말이야.

어떤 결과가 나오든 마주 보게 해야 해.

그리고

그 녀석 양엄마가 그 녀석에게 타오산 쌀을 꼭 전해 달라고 부탁했거든.

…필드형
보안 건물에…

안쪽은 드라이
직속 기사들.

감지 계열
초상능력 꼬맹이
기사도 한 명…

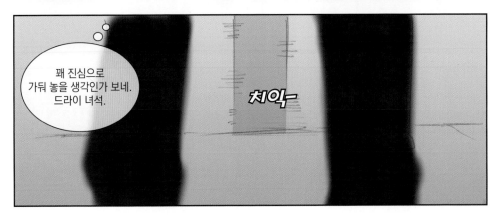

꽤 진심으로
가둬 놓을 생각인가 보네.
드라이 녀석.

치익ー

만 이천
삼십 이.

만 이천
삼십 삼.

만 이천 삼십…
…으으…

아무리
그동안 운동을
안 했어도…
으… 하나만
더…

흰색이다.

참 나이랑
안 어울리는 걸
잘도 입고
다닌다니까.

럭키~

요~
오랜만이다
앤.

쿵

서비스가
좋…

헐퀴-

빡

외출시켜 주는 건
고맙지만……

치안유지인력도
부족한데 이 호위
병력은 다 뭐예요?
전투기에 장갑차가
몇 대야…

호위보다는
탈주 방지가
목적이겠지.

내가 무슨
맹수도
아니고…

뭐 그리
중요 인물
이라고…

공주가
도망 못 가게
새장 안에
가두고 싶은
왕자님이
있나 보지.

공주라…
불행히도 그런
고상한 인물은
못 되는데요.

그래 빵이나
훔쳐 먹던 게
무슨 공주냐.

이미 빠질 놈들은
다 이런저런 수로
빠지고 남은 건
빈곤층뿐이야.

…도시는
기능을 못하고
슬럼화가
진행되고 있지.

절도, 강도,
살인, 폭동은
이미 일상이야.

공격당한 건 일부지만 약간의 조건만 충족되면 도시 기능이 마비되는 건 금방이야.

피난선은 절대적으로 부족한데 상황을 수습할 관료들은 모조리 내뺐으니 무법천지가 될 수밖에.

우선 피난 대상에 오르지 못한 사람들은 다들 실드형 도시에 모여서 죽을 날만을 기다리고 있지.

은퇴 후에는 기사단이나 이단으로 분류되는 십자회에 엮이고 싶지 않았는데…

고식교회 대표로 결국 만나기 싫은 녀석들과 손잡는 때가 오고야 마는군.

겨우겨우 설득해서 십자회의 원로들의 그 무거운 엉덩이를 들게 했어. 내 과거의 후광 덕을 좀 봤지.

십자회가 기사단과 공조한 괴수 박멸 작전 외에 이런 대규모 민간 지원 임무를 수행하는 건 아마 처음일걸?

무엇보다 십자회가 고식교회와 손잡는 것부터가 파격이지…

내가 입안한 방주 계획. 현재 에덴의 터를 이용해 임시 거주지를 짓고 있어.

어차피 이주용 콜로니도 교통량이 포화 상태라 배가 있어도 이동이 오래 걸리고

해킹 덕에 게이트 오픈도 제한돼서 피난민을 빠른 시간 내에 옮기는 건 무리야.

그렇다면 상황이 더 나빠져도 사람들이 한동안 버틸 수 있는 피난처를 만드는 게 낫다고 판단했지.

십자회가 폐기된 우주선 생활 모듈을 대량으로 제공했어. 배나 연료보다는 훨씬 구하기 쉬우니까.

십자회… 이단이니 자살테러 광신도니 해서 싫어했잖아요?

그랬지…

하지만 저들을 봐.

이단이든 뭐든 다 사람의 자식이니까.

적어도 지금은 사람을 살리기 위해 땀을 흘리고 있잖아.

사람을 살리는 데 가치를 둘 수 있는 자들이라면…

지금은 그걸로 됐어.

6개월의 피난 기간을 버텨 줄 낡은 생활 모듈과 이주함에서 떼어낸 냉동 수면 장치.

가족이 없는 성인 남성은 거의 냉동행이야. 폐쇄된 공간에서의 범죄 예방 목적이지만 성차별이니 뭐니 저항이 커.

생활 모듈 절반은 수명을 다해서 버틸 수 있을지 불안하고 수량도 부족해 3분의 2 이상은 냉동 수면행이지.

자기장이 사라지면 우주방사선을 막지 못해 행성은 곧 엉망이 될 거고 많은 사람들은 깨어날 수 없을지도 모른다는 두려움을 안고 여기 잠들게 될 거야.

아이러니하게도 이곳은 이번 사태로 죽은 사람을 추모하는 묘지이기도 해.

이곳에 들어간 사람들도 묘지의 사람들과 같은 운명을 맞이할 가능성이 큰 것도 사실이지.

이곳이 거대한 묘지가 될지 방주가 될지는 아무도 몰라. 그저 할 수 있는 건 기도뿐…

그보다 이 모비, 죽은 김에 몽땅 고신교회로 개종입니까.

내 아이디어야 죽이지?

모두 살아남으면 좋겠네요…

그래…

냉동 수면 생존율이 낮은 아이들은 7명당 보모 1명 구성으로 1개 생활 모듈을 배정받게 돼.

배급품 보급 업무 하면서 지켜야 하는 사람들 얼굴이라도 잘 봐 둬.

이럴 때는 또 참스승 같네요. 가짜 신부.

진짜거든?

12세 미만 어린이는 아직 E코드가 삽입 안 되어 있으니 여기에 인적사항을 적도록.

전 아직 쓸 줄을 모릅니다만?

내가 적어 줄게. 말로 해.

부모님은 안 계시니?

아빠가 있는데 애인이랑 먼저 튀었어요.

어차피 그 주정뱅이 기대도 안 했고…

그럼 다른 일행은 없고 네가 보호자야?

옙.

죽은 엄마가 말했어요. 내가 제일 오빠니까 동생들을 잘 지키라고…

말종 아빠가 데려온 애들이긴 한데 피는 달라도 우린 가족이라고 했으니까

내가 지켜 줘야 해요.

......

그래…

가족이니까.

그 손…
놓치지 말고
잘 지켜 줘.

...

…놓치지…
말고…

…싫어…

…가지… 마…

응?…
앤…

이제 말
잘 들을게…
앤…

…그러니까…

영웅이 되었다고 해서 그녀의 본질이 변하는 것은 아니다.
오히려 영웅이 되어 더 많은 문제가 생겼다.
그녀는 여전히 기사단의 골칫거리였고 나에 대한 집착은 도를 넘었다.
무엇보다… 그녀의 폭주는 언제나 희생자를 동반했다.

건강히
잘 지내…

명목상은 프레이가 벌인 갖가지 사고 책임을 내가 지고…
괴수와의 전화가 심해져 엉망이 되어버린 북부기사단 관할 시린으로의 발령.

……앤…

하지만 떠나기로 결심한 건 나다…

죄책감을 떨칠 수 없었다.

프레이의 폭주는 언제나
내가 원인이었으니까.

적어도 당시는 그 방법밖에 없다고 생각했다.

내가 떠나면 프레이의 나에 대한 집착으로 인한 희생을
막을 수 있다고 생각했기에…

그리고 내가 없어야 비로소 그녀가 정신적인 성장을
할 수 있을 거라 판단했기에…

그때는 그것이 옳다고 생각했다.

하지만 언제나 다시 되묻는다.

그 손을 놓은 것이…

정말로 옳았던 일일까?

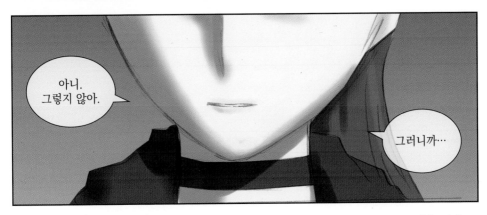

아니.
그렇지 않아.

그러니까…

언제까지고

이 화원에서 널 기다리고 있을게.

앤.

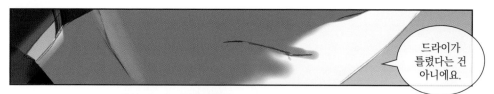

드라이가
틀렸다는 건
아니에요.

하지만 할 수 있는 걸
시도도 해 보지 못하고
마음을 억누르고 있는 건
더 이상 못 하겠어요.

연합과 기사단이
방어에 치중하느라
소외된 채 삶과 죽음의
기로에 놓인 사람들이
있어요.

또
무엇보다…

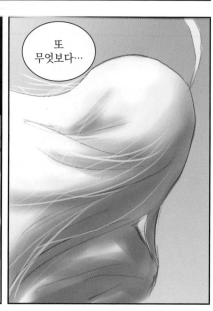

그리고
아린에서
싸우고 있을
사람들.

지켜야
했지만…

그러지
못한 사람이
있어요.

그래서
전…

앤.

프레이

적어도
지금의 그녀는
네가 지켜야 하는
예전의 그 프레이가
아니야.

아린 성계 외곽
노튼함대

기사단 전투 시스템이
프로토콜에 따라 게이트
붕괴 직전 중요 기밀 정보를
암호문 형식으로 발티아에
전송했어.

우리도 이제야
겨우 해독이
가능해졌군.

저공 스텔스 위성이
적의 둥지가 된
중앙기사단을 찍은
영상이군요.

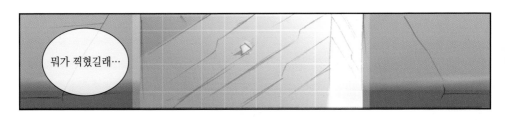

뭐가 찍혔길래…

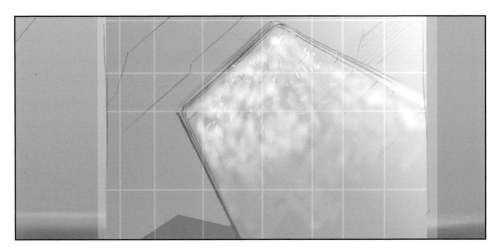

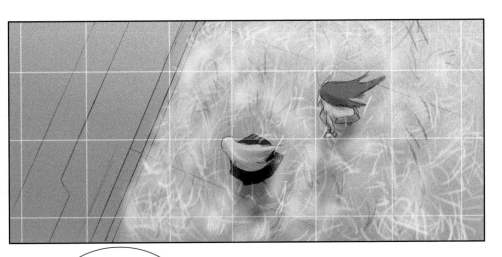

이미 괴수에게 완전히 침식돼 둥지가 돼 버린 중앙기사단을 찍은 몇 초의 영상이다.

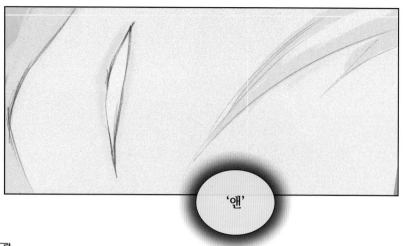

'앤'

프레이…

언제까지고 이 화원에서
널 기다리고 있을게.

4권에 계속

knight
RUN